LEBEN IM GLAUBEN

CIP-Kurztitelaufnahme
der Deutschen Bibliothek
Hopfgartner, Joseph:
Leben im Glauben: Jugendgebete aus den Jungen Kirchen
Redaktion: Joseph Hopfgartner.
Unter Mitarbeit von Bernadette Latteschoneck
Aachen: missio aktuell Verlag, 1983
ISBN 3-921626-32-3

Redaktion
Pater Joseph Hopfgartner MHM
unter Mitarbeit von Bernadette Latteschoneck
Bildauswahl
Ludwig Hahn
Fotos
Ludwig Hahn (1)
Hilde Körnig (10)
Rolf Kunitsch (Titel)
K. H. Melters (14)
Vivante Afrique Namur/Belgien (1)
Gestaltung
Herbert Wenn/Aachen
Gesamtherstellung
Bonifatius-Druckerei Paderborn
ISBN 3-921626-32-3 (Aachen)
missio aktuell Verlag GmbH
ISBN 3-872141-59-7 (Erlangen)
Verlag der Ev.-Luth. Mission
Die kirchliche Druckerlaubnis ist erteilt:
Aachen, den 10. Juni 1983 – 0.2.1 – 132/83.
Der Generalvikar i. V.: Dr. Müllejans

LEBEN IM GLAUBEN

JUGENDGEBETE AUS DEN JUNGEN KIRCHEN

missio aktuell Verlag GmbH · Aachen
Verlag der Ev.-Luth. Mission · Erlangen

INHALT

I
Du bist Hoffnung und Zuflucht für alle

Gebete aus Lateinamerika

II
Zeige uns den Weg

Gebete aus Afrika

III
Du bist der Vater von allem

Gebete aus Ozeanien

IV
Gib uns Deinen Segen

Gebete aus Asien

GEBETE AUS LATEINAMERIKA

I

Du bist Hoffnung und Zuflucht für alle

GEBET EINES JUGENDLICHEN

Danke, Herr,
für die Blumen in freier Natur,
für den Wind, für das Meer und
den Glanz im Weizenfeld.

Danke, Herr,
für die echte Liebe,
für das Herdfeuer,
für die wahre Freiheit.

Danke, Herr,
für die grünen Felder,
die Luft, die Sonne,
das Blau des Himmels,
für Deine Liebe.

Danke, Herr,
für die einfachen, demütigen Menschen,
die nicht nachtragend sind und
mir in die Augen blicken können.

Danke, Herr,
für den Frieden in der Welt,
auch wenn er noch so gebrechlich ist,
für den Frieden, der immer wieder möglich ist,
wenn wir Geduld haben.

Danke, Herr,
daß Du bei uns bist.
Amen.

ARGENTINIEN

GEBET EINES MÄDCHENS

Herr, wie glücklich und frei
fühl' ich mich heute!
Ich werde 15!
Ich bin voll Leben und spüre
die Kraft der Jugend in meinen Adern.
Ich weiß, daß ich mich tagtäglich
mehr und mehr zur Frau entwickle.
Zu Hause mögen sie mich alle.
Sie werden mit mir den 15. Geburtstag feiern.
Ich weiß, daß das Leben schön ist.
Ich wünsche mir, daß es weiterhin schön bleibt,
daß ich es ernst nehme
und nicht oberflächlich werde.
Ich will zu einer ganzen Frau und
zu einer mutigen Christin heranwachsen.
Deswegen lege ich meine Jugend in Deine Hände.
Ich danke Dir, Herr,
für meine große Freude am Leben,
für den heutigen Tag.
Amen.

BOLIVIEN

GEBET FÜR DIE FAMILIENANGEHÖRIGEN

Allmächtiger Vater!
Bei mir zu Hause komme ich
einfach nicht mehr zurecht.
Der Frieden ist gefährdet.
Das Verhältnis gestört.
Durch mich.
Das ist eben das Traurige.
Bitte, schenk' Du ihnen viel Geduld mit mir.

Ich kenne mich selbst nicht mehr.
Ich bin so anders geworden.
Es kam alles so plötzlich.
Kannst Du mir helfen? Willst Du mir helfen?
Du bist Zuflucht für alle.
Mir ist auch gesagt worden,
daß Du für alle und immer Zeit hast und
ein guter Zuhörer bist.
Ich brauche Dich, denn zu Hause tun sie mir leid.
Wenn Du es nicht für mich tun willst,
dann tu' es doch für alle daheim,
die durch mich leiden.
Laß mich nicht im Stich.
Nur jetzt nicht. Bitte.
Amen.

BRASILIEN

GEBET FÜR EINEN DROGENSÜCHTIGEN

Gott, Du allein weißt es,
wie es geschah.
Es hat uns alle sehr erschüttert.
Wir wissen nicht, wie es so schnell passieren konnte.
Auf einmal war er weg aus unserer Gruppe.
Er kam nicht mehr. Ohne etwas zu sagen.
Ohne sich zu verabschieden.
Er war eine große Bereicherung für unsere Gruppe.
Wir vermissen ihn.

Jetzt wissen wir, was geschah.
Einer von uns hat ihn getroffen.
Mit ihm gesprochen.
Doch er wollte nicht zurück.
Wollte nichts mehr mit uns zu tun haben.
Die Drogen halten ihn gefangen.

Jesus, er braucht Hilfe. Deine Hilfe.
Wir sind ratlos und schaffen es nicht alleine.
Zeige uns einen Weg. Gib ihn uns zurück.
Wir bestürmen Dich. Es eilt.
Amen.

BRASILIEN

GEBET EINES JUNGEN MANNES

Ich habe eine Freundin, Herr.
Eine feste Freundin.
Ich habe sie sehr gern.
Sie ist große Klasse.
Astrein.
Ich freue mich, daß es sie gibt.
Ich bin ihr Verlobter.
Ich fühle, daß sie mir nahe ist.
Das Gefühl, geliebt zu werden,
macht mich sehr glücklich.
Sie ist meine Verlobte.
Durch sie habe ich entdeckt, was Liebe ist.
Ich bitte Dich für sie und für mich.
Beschütze sie.
Herr, steh' Du immer am Horizont
unserer Zukunft, unseres Lebens.
Mach' uns glücklich.
Hilf uns, daß unsere Liebe nie erkaltet,
sondern daß sie immer frisch und neu bleibt.
Amen.

CHILE

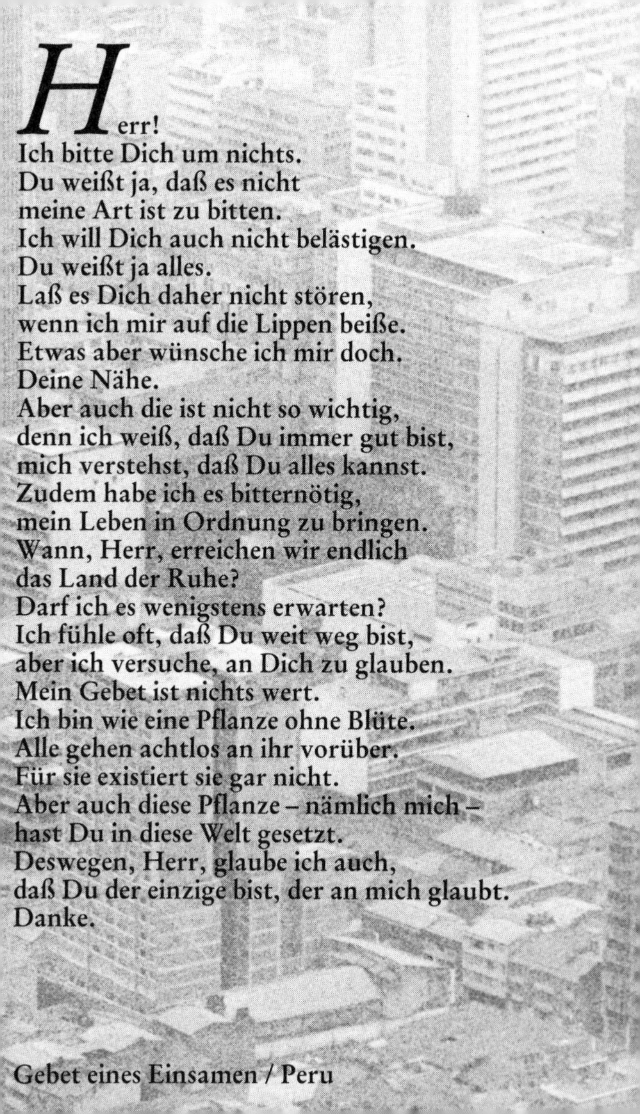

Herr!
Ich bitte Dich um nichts.
Du weißt ja, daß es nicht
meine Art ist zu bitten.
Ich will Dich auch nicht belästigen.
Du weißt ja alles.
Laß es Dich daher nicht stören,
wenn ich mir auf die Lippen beiße.
Etwas aber wünsche ich mir doch.
Deine Nähe.
Aber auch die ist nicht so wichtig,
denn ich weiß, daß Du immer gut bist,
mich verstehst, daß Du alles kannst.
Zudem habe ich es bitternötig,
mein Leben in Ordnung zu bringen.
Wann, Herr, erreichen wir endlich
das Land der Ruhe?
Darf ich es wenigstens erwarten?
Ich fühle oft, daß Du weit weg bist,
aber ich versuche, an Dich zu glauben.
Mein Gebet ist nichts wert.
Ich bin wie eine Pflanze ohne Blüte.
Alle gehen achtlos an ihr vorüber.
Für sie existiert sie gar nicht.
Aber auch diese Pflanze – nämlich mich –
hast Du in diese Welt gesetzt.
Deswegen, Herr, glaube ich auch,
daß Du der einzige bist, der an mich glaubt.
Danke.

Gebet eines Einsamen / Peru

GEBET ZUR GABENBEREITUNG

Herr, ich bin Pedro
und bringe Dir einen Stein.
Einen groben Felsbrocken.
Nimm ihn an, denn er ist unser Herz,
mein Herz.
Hart gegen andere.
Verwandle dieses Herz.
Laß es nicht hart bleiben wie dieser Felsen.
Laß es weich werden und sich öffnen,
denn jeder Mensch ist ein kostbarer
und wichtiger Stein der Kirche
und für ihren Aufbau bestimmt.
Zu einer lebendigen Kirche.
Dieser Stein sind wir alle.
Es ist unser Herz.
Wir legen es auf den Altartisch.
In diesem Stein.
Ändere uns. Bitte.
Amen.

BOLIVIEN

GEBETE AUS AFRIKA

II

Zeige uns den Weg

GEBET UM ARBEIT

Der Tag ist schon angebrochen.
Die Sonne ist aufgegangen.
Im Hafen liegen die Dampfer.
Gibt es für mich denn keine Arbeit?
Ich stehe hier – arbeitslos!
Lieber Gott! Kannst nicht vielleicht Du mir
im Hafen Arbeit verschaffen?
Jesus, guter Herr, gib mir, bitte, Arbeit.
Amen.

GHANA

GEBET UM MUT

Lieber Gott! Wir haben uns gefunden.
Wir verstehen uns und sind Freunde.
Sie ist aber weiß und ich schwarz.
Für uns ist das kein Problem.
Aber für die anderen.
Ich darf ihr Haus nicht betreten.
Mein Vater wird wütend,
wenn er uns zusammen sieht.
Sie sind nicht tolerant.
Aber auch einige meiner Kollegen
stellen sich dagegen.
Wir mögen uns, Herr!
Wir wollen unsere Zukunft gemeinsam gestalten.
Wir wissen, daß es in unserer Situation
nicht so einfach ist,
daß es schwierig werden wird.
Wir wollen es aber wagen und bitten Dich,
uns zu unterstützen, uns zu segnen.
Wenn Du aber wirklich glaubst,
daß es nicht richtig ist,
dann öffne uns bitte die Augen,
damit wir richtig sehen.
In jedem Falle aber schenke uns viel Mut,
das richtig Erkannte dann auch zu tun.
Amen.

SÜDAFRIKA

GEBET EINES SCHÜLERS

Guter Gott,
ich bitte Dich um Menschen,
die gut sind und freundlich.
Die Pflanzen und Bäume
brauchen Wärme und Licht.
Sie wenden sich der Sonne zu.
Auch die Menschen brauchen
immer wieder Beachtung.
Wenn ich gesehen,
beim Namen genannt und gegrüßt werde,
wenn man mir zulächelt,
dann geht bei mir die Sonne auf,
und ich bin tagelang glücklich.
Wenn ein Mensch freundlich ist
und seine Güte vom Herzen kommt,
dann wird die Welt glücklicher.
Solchen Menschen springen im Nu
die Türen der Herzen auf.
Um solche Menschen, guter Gott,
bitte ich Dich für mich
und für die anderen.
Amen.

KAMERUN

GEBET FÜR DIE WEISSEN

Herr, warum macht meine Hautfarbe
einen so großen Unterschied im Leben?
Ich bin ein Mensch wie alle anderen auch.
Ich esse, lache und spreche wie die anderen.
Ich schrei' genauso wie sie,
wenn ich verletzt werde.
Warum wollen sie uns nicht?
Sie behandeln uns,
als ob sie Angst hätten,
von uns ginge eine Gefahr aus,
unser Atem würde ihnen schaden.
Herr, ich weiß, wir sollen Freunde sein,
Brüder und Schwestern.
Aber sie wollen es nicht.
Auch für mich ist es nicht so einfach.
Manchmal schaffe ich es gar nicht,
aber ich versuche es, weil ich Christ bin
und Dir nachfolgen will.
Gib mir viel Gnade, alle Menschen zu lieben –
auch die Weißen.
Amen.

SÜDAFRIKA

GEBET FÜR DIE SCHWARZEN

Barmherziger Gott.
Nun bin ich ganz zum Außenseiter geworden.
Auch daheim.
Sie können es nicht verstehen,
daß ich mich für meine schwarzen Kollegen
einsetze und ihre Rechte verteidige.
Ich kann aber nicht anders,
wenn ich Christ sein will.
Ich behaupte nicht, daß es immer einfach ist.
Ich muß allerhand einstecken.
Man will mich umstimmen.
Ich will tun, was ich kann.
Hilf mir, sie alle zu lieben.
Vor allem aber laß mich durchhalten
und den Schwarzen treu zur Seite stehen.
Amen.

NAMIBIA

GEBET FÜR DIE WELT

Chaos in der Welt,
Armut überall,
Spaltung unter Menschen
Krieg unter Völkern
nirgends Frieden.

Wir haben uns abgewandt
von Deiner Liebe;
doch bleiben wir angewiesen
auf Dich.
Von Dir kommt die Luft,
die wir atmen.
Ohne Luft
sind wir tot,
bewegungslos, verwest.

Herr,
laß uns Deine Liebe begreifen,
laß uns Verbindung halten
mit den Brüdern,
ob schwarz, weiß, rot oder gelb.
Mache aus der Welt
einen Korb der Farben
in Deiner mächtigen Hand
und laß Frieden sein
in diesem Korb.

AFRIKA

GEBET EINES JUNGEN MÄDCHENS

Herr,
ich weiß nicht, wie man betet.
Auch wenn ich schon gehört habe,
wie Erwachsene beten.
Ich mag ihre Art zu beten nicht.
Sie bitten um so viele Dinge.
Alles, um das ich Dich bitte, Gott,
ist, mir zuzuhören.
Denn niemand hört mir zu,
niemand kennt meine Leiden.

Jeden Morgen, bevor ich zur Schule gehe,
muß ich aus einigen Meilen Entfernung
Wasser holen.
Ich trage den Topf auf meinem Kopf,
und manchmal fürchte ich,
daß ich eine Beule auf dem Kopf bekommen werde.
Ich werde hier und dorthin getrieben.
Es gibt so viele Sachen im Hause zu tun,
und sehr oft komme ich zu spät zur Schule.

Wenn ich von der Schule zurückkehre,
muß noch andere Arbeit getan werden.
Ich trage die Kleine auf dem Rücken,
was meine Aufmerksamkeit fordert.
Ich habe sie zu füttern, zu baden
und zum Einschlafen zu bringen.

Ich habe nie genug Zeit für meine Schularbeiten,
denn meine Mutter braucht abends meine Hilfe.
Meine Lehrer bestrafen mich,
sie beschimpfen mich
und manchmal schlagen sie mich.
Sie scheinen mein Schicksal nicht zu verstehen.

Und sie haben keine Zeit, mir zuzuhören.
Sie vergessen, daß ich
meinen Eltern zu gehorchen habe.
Manchmal weiß ich nicht, wem ich gehorchen soll,
meinen Eltern oder meinen Lehrern!
Von guten Kindern wird erwartet,
daß sie Älteren ohne zu fragen gehorchen.

Ich bleibe lange auf und wasche ab,
denn ich habe meiner Mutter zu helfen.
Ich bin das älteste von fünf Kindern,
und meine Mutter hat so viel zu tun.
Sie ist abends müde,
weil sie den ganzen Tag
auf dem Feld gearbeitet hat.

Am Ende des Schuljahres
stehe ich in der Klasse am schlechtesten da.
Meine Mutter hat gesagt:
Sie sei es leid, meine Schulgebühren zu zahlen,
denn ich würde nie das Examen schaffen.

Sie sagt, ich sei dazu verurteilt,
mein Leben lang arm zu bleiben,
wenn ich die Prüfung nicht schaffe.

Aber sie weiß nicht,
daß ich mich nicht konzentrieren kann,
wenn mein Magen leer ist.
Ich habe morgens nie ein Frühstück,
und ich bin zu hungrig
und zu müde, um das zu verstehen,
was der Lehrer erklärt.

Vor ein paar Tagen hörte ich einige Leute reden.
Ich hörte aufmerksam zu, was sie sagten
über eine bessere Lebensqualität
für die armen Kinder.
Ich sah, wie einer von ihnen
seine Kamera auspackte
und mich fotografieren wollte.
Ich lief so schnell ich konnte weg,
denn mein Gesicht und meine Kleidung
waren sehr schmutzig.
Und ich wußte, daß dies der Grund dafür sei,
daß sie mein Foto wollten.

Sie liefen mir nach
und warfen mir einige Münzen zu.

Sie wußten, daß ich anhalten würde,
und ich tat es.
Ich blickte auf die Münzen,
und ich bückte mich, um sie aufzusammeln.

Die Kamera klickte,
und der Fotograf lächelte.
Dann plötzlich
verschwanden sie alle
und ließen mich dort stehen.
Ich fragte mich,
was ich mit den Münzen tun sollte.

Herr,
hör' auf mein Weinen.
Hör' auf das Weinen
aller Kinder dieses Landes.
Von Kindern, die mißhandelt,
ausgebeutet und beschimpft werden.
Veranlasse die Gesetzesmacher,
Kinder als menschliche Wesen anzusehen,
die Liebe, Beachtung und Verständnis brauchen.
Aber vor allem blicke mitleidvoll
auf meine Mutter und vermindere ihr Leiden.
Damit wir, ihre Kinder,
ein besseres Leben erwarten können.

KENYA

GEBET
UM SCHUTZ

Gott, Du bist die Quelle des Lebens.
Du hast uns auf unserer Wanderung
in diese fruchtbare Gegend hier beschützt.
Wir wissen nicht, woher wir kommen,
Du aber weißt es.
Du bist Gott auch über Krieg und Streit.
Sei unser Schutz gegen alle,
die uns schaden wollen.

VERWANDLE MEIN HERZ

Du machst uns satt.
Du hältst uns am Leben.
Was gehört schon mir?
Sogar der Leib,
den ich kleide und nähre,
gehört mir nicht.
Und was gebe ich Dir dafür?
Liebe ich Dich?
Gehorche ich Dir immer?
Manchmal mache ich es mir leicht,
nicht wahr?
Verwandle mein Herz,
öffne meine Augen.
Sie sollen sehen, wie Deine Güte
in so vielen Menschen wirksam ist,
denn Deine Güte ist ausgeschüttet
über andere neben mir.
Bleibe bei uns, Vater!

AFRIKA

GEBET EINES KINDES FÜR SEINE ELTERN

O mein Gott,
Du hast uns geboten, Vater und Mutter zu ehren.
Höre meine Bitte für meine Eltern.
Sie haben so viel für mich getan,
daß ich ihnen nie genug danken kann.

Sie haben mich umsorgt von Kindheit an.
Sie haben mich genährt und gekleidet.
Sie mühten sich Tag und Nacht.
Sie opferten Schlaf und hatten Angst.
Sie litten Schmerzen um meinetwillen.

O mein Gott,
danke Du ihnen für alles, was sie für mich getan.
Segne sie an Leib und Seele.
Hilf ihnen bei der Arbeit, damit sie gelingt.
Halte die Bitterkeit fern und schenk ihnen Freude.
Beschütze sie vor Gefahren und Krankheit.
Laß sie ein hohes Alter erleben
und Freude an ihren Kindern.

Hilf mir, damit ich sie immer liebe.
Mögen sie Freude empfinden,
weil ich sie achte und umsorge.
Laß uns immer Freunde sein.
Nimm uns alle auf in Dein Reich
und vollende unsere Liebe und unser Glück.

TANSANIA

GEBET UM MUT ZUM GLAUBEN

Herr, laß mich in aller Demut
nacheifern, was schön ist in den Menschen!
Was häßlich ist,
laß mich das für immer vergessen!

Schenk' mir die Kraft,
um große Dinge zu verwirklichen,
und schenk' mir den Mut,
um alle Engstirnigkeit zu bekämpfen.

Lehre mich, meine Feinde genügend zu lieben,
so daß sie meine Freunde werden.
Mein Glaube soll siegen über Zweifel,
meine Liebe über den Haß.
Und daß die Hoffnung um Dich, mein Herr,
mein Licht sei über all meinen Lebenswegen.

RWANDA

GEBETE AUS OZEANIEN

III

Du bist der Vater von allem

GEBET VOR EINEM TANZFEST

Gott Vater,
Du hast uns in dieses Land gesetzt.
Du willst nicht, daß wir armselig sind,
daß wir viel grübeln,
uns sorgen und traurig sind.
Nein, Du willst,
daß wir fröhlich sind und singen.

Wir glauben,
all unser Tanzschmuck und unsere Lieder
sind nicht von selbst entstanden.
Nein, sie kommen von Deiner Hand.
Du willst,
daß wir bunte Federn
in unser Haar stecken
und unsere Haut
mit schönem Schmuck zieren.
Vater, wir danken Dir
für unseren Tanzschmuck
und für unsere Lieder.

Gott Vater,
wir bitten Dich:
Segne unser Tanzfest.
Sei in unserer Mitte, wenn wir tanzen.
Gib uns den rechten Sinn,
damit wir nur gute Lieder singen
und keine schlechten.

Gott Vater,
wir sind jetzt bereit zu singen.
Laß uns immer eines Herzens sein.
Darum bitten wir Dich
im Namen unseres Bruders,
Jesus Christus.

PAPUA-NEUGUINEA

GEBET BEI EINEM FESTESSEN

Gott, Vater,
schau, wir haben uns versammelt,
und wir freuen uns.
Du liebst unsere Freude
und unsere Feste.
Früher nahm Jesus
am Hochzeitsfest in Kana teil
und freute sich mit allen.
Wir wissen jetzt:
Wenn wir an unsere Brüder denken
und uns mit ihnen freuen,
werden wir glücklich sein.

Jesus nahm einige Brote und Fische.
Er verteilte sie,
und viele tausend Menschen wurden satt.
Jetzt wissen wir:
Wenn wir unser Essen mit anderen teilen,
wird unser Leib sich freuen,
und wir werden eines Herzens sein.

Jesus ging in das Haus
des Zacheus zum Essen.
Jetzt wissen wir:
Wenn wir zusammensitzen
und mit anderen essen,
werden wir Freunde sein.

Gott Vater, das Essen ist fertig.
Der Geruch ist wunderbar,
und das Wasser läuft uns
im Munde zusammen.
Segne unser Essen.
Mache unseren Leib gut
und unsere Freude groß.
Du bist der Vater von allem;
wir danken Dir sehr.

PAPUA-NEUGUINEA

GEBETE AUS ASIEN

IV

Gib uns Deinen Segen

GEBET AM MORGEN

Jeden Tag, Herr,
kündigt sich Deine Sonne an.
Lichtstrahlen sprühen zum Himmel.
Sie werden zu einer Strahlenkrone,
bis plötzlich die Sonnenscheibe
aus dem Wasser taucht
und alles mit Gold überflutet.
Die Nacht ist vergangen.
Das Dunkel vergessen.
Ein neuer Tag hat begonnen.
Neues Leben.
Neue Hoffnung.
Zuversicht.
Die Treue eines lieben Menschen
ist wie der Sonnenaufgang,
der immer wiederkehrt.
So sicher ist echte Freundschaft.
Noch viel mehr aber kann ich mich
auf Dich verlassen, Gott.
Du läßt mich nie im Stich.
Die Sonne, Herr, die immer wieder
aus dem Dunkel aufsteigt,
gibt mir Zuversicht, Hoffnung und Sicherheit,
denn Du hast mich nicht vergessen.
Du liebst mich.

PHILIPPINEN

GEBET UM AUSDAUER

Lieber Gott!
Ich bin noch jung
und habe Probleme mit meiner Jugend
wie so viele andere meines Alters auch.
Wir ecken an, fordern heraus.
Wir sind unbequem.
Ein Fremdkörper in der
Gesellschaft, in der Kirche.
Oft ohne es zu wollen oder zu beabsichtigen.
Es kommt zu Mißverständnissen,
Verunsicherungen, Krisen.
Es ist manchmal so schwer zu beweisen,
daß wir auch guten Willen haben
und das Beste wollen.
Wir sind ja noch im Wachsen und müssen lernen.
Oft muß ich an die Auster denken
und an das Sandkorn, das zur Perle wird.
Es braucht aber viel Zeit,
Geduld und Anpassung.
Nur dann bildet sich eine Perle.
Sind wir nicht auch oft wie ein Sandkorn,
ein Fremdkörper für die Umgebung?
Wer aber ist in unserem Falle
die Auster und wer das Sandkorn?

Hilf Du uns allen wachsen,
damit wir das werden, was Du willst,
schöne Perlen,
die nichts mehr vom Sandkorn haben,
die alles Harte und Eckige verloren haben.
Für dieses Ziel schenk' uns und allen anderen Mut,
Geduld und Anpassungsfähigkeit.
Danke.

PHILIPPINEN

GEBET AM MEER

Das Meer, Herr,
ist immer da.
Es kommt in den Wellen
immer wieder auf uns zu.
Unaufhörlich.
Auch Gott
ist immer da.
Immer wieder kommt
er neu zu mir.
So erfahre ich seine Liebe
immer wieder neu.
Ich bete oft zu Gott.
Er ist da.
Er kommt.
Amen.

SÜDKOREA

GEBET EINER STUDENTIN

Mein Zimmer,
Herr, ist kein gewöhnliches.
Grau ist die Decke und grün die Wand.
Das einsame Fenster blickt
auf eine alte Ziegelmauer.
Wenn ich aber meine schwarzen Augen hebe,
fliegt das Licht von oben herunter, vom Himmel,
und fließt durch mein Doppelfenster.
Aber auch der kalte Luftstoß dringt herein.
Der Heizkörper am Fenster bleibt immer kalt.
Das hölzerne Pult mit den Wörterbüchern,
das Bett mit der schönen grünen Decke,
der Pappkarton vom Supermarkt als Nachttisch
und das Bild der Heiligen Dreifaltigkeit
an der Wand: Das ist mein Zimmer.
Gewöhnlich ist es aber nicht.
Wenn ich auf meinem Platz sitze,
spüre ich, daß das Licht immer da ist
und mich wärmt,
wenn es auch für mich immer blaß ist.
Ich lehne oft am alten Stuhl und bete,
denn nicht gewöhnlich ist mein Zimmer,
weil Du Gott zu mir kommst.
Ich sehe Dich zwar nicht,
aber in meinem Zimmer bist Du immer Gast.

SÜDKOREA

GEBET UM DEN FRIEDEN

Vater unser!
Du bist der Gott des Friedens.
Alle Menschen sind Deine Kinder.
In der Welt ist aber so viel Unfriede und Haß.
Viele Menschen müssen ihre Heimat verlassen.
Sie sind auf der Flucht, im Krieg, hungrig, krank.
Sie werden getötet, damit andere mächtig bleiben.
Unschuldige leiden, sterben.
Ich verstehe das alles nicht, Herr.
Was kann ich schon tun?
Du aber hast uns den Frieden versprochen.
Allen Menschen, die guten Willen haben.
Wer hat schon guten Willen,
wenn es um den anderen geht?
Du hast alle aufgerufen,
für den Frieden zu arbeiten.
Der gute Wille dazu fehlt uns oft.
Vielleicht muß ich bei mir anfangen,
in der Familie.
Ich muß, ich will mich einsetzen.
Aber es ist nicht so leicht.
Friede muß klein anfangen,
wachsen und sich ausbreiten.
Friede beginnt bei mir, von Mensch zu Mensch.
Mache uns zu Friedensboten, Herr.
Amen.

PAKISTAN

GEBET UM OPFERBEREITSCHAFT

Für Dich, Jesus, habe ich eine Nachricht.
Meine Freunde erzählten mir,
sie hätten Dich gefunden,
sie seien Dir begegnet:
in der Sonne,
im Licht,
in der Lotosblume,
in Menschen, die sich angelacht haben,
die sich verstanden, einander verziehen haben.

Auch ich, Herr, habe Dich gefunden.
In einem kahlen Baum,
der alle Blätter verloren hat.
Er hatte nichts mehr wie Du am Kreuz.
Du hast alles hingegeben für uns.
Ich danke Dir dafür.
Ich muß jetzt auch etwas tun
für Dich und die anderen.
Etwas, das weh tut.
Gib mir die Kraft dazu.
Amen.

SÜDKOREA

GEBET FÜR ALLE MENSCHEN

Segne uns alle, allmächtiger Gott.
Wir brauchen Deinen Segen,
denn wir sind so verschieden
im Glauben, in der Farbe, in der Sprache.
Es ist manchmal so schwer,
jeden so anzunehmen, wie er ist.
Wir tun uns auch schwer, die Art zu verstehen,
wie der andere lebt, wie er reagiert, was er ißt.
Schenke uns allen Verständnis füreinander.
Gib uns Mut, aufeinander zuzugehen.
Bewahre uns vor dem Fehler,
die Menschen in Gruppen einzuteilen.
Wir sind ja alle Deine Kinder,
Brüder und Schwestern, eine Großfamilie
und wollen es auch bleiben.
Amen.

INDIEN